★ J'apprends ★
à li
avec Sami

C000065380

# Tobi
# est malade

hachette
ÉDUCATION

# Avec Sami et Julie, lire est un plaisir !

## Avant de lire l'histoire

- Parlez ensemble du titre et de l'illustration en couverture, afin de préparer la compréhension globale de l'histoire.
- Vous pouvez dans un premier temps lire l'histoire en entier à votre enfant, pour qu'ensuite il la lise seul.
- Si besoin, proposez les activités de préparation à la lecture aux pages 4 et 5. Elles permettront de déchiffrer les mots les plus difficiles.

## Après avoir lu l'histoire

- Parlez ensemble de l'histoire en posant les questions de la page 30 : « As-tu bien compris l'histoire ? »
- Vous pouvez aussi parler ensemble de ses réactions, de son avis, en vous appuyant sur les questions de la page 31 : « Et toi, qu'en penses-tu ? »

**Bonne lecture !**

**Couverture :** Mélissa Chalot
**Maquette intérieure :** Mélissa Chalot
**Mise en page :** Typo-Virgule
**Illustrations :** Thérèse Bonté
**Édition :** Laurence Lesbre
**Relecture ortho-typo :** Emmanuelle Mary

ISBN : 978-2-01-910380-4
© Hachette Livre 2016.

Achevé d'imprimer en Espagne par Unigraf
Dépôt légal : mars 2018 - Collection n° 12 - Édition: 06 - 25/6712/7

# Les personnages de l'histoire

# Pour préparer la lecture

**1** Montre le dessin quand tu entends le son (i) dans le mot.

**2** Montre le dessin quand tu entends le son (a) dans le mot.

**3** Lis ces syllabes.

| sa | mi | ado | to | bi | do |
|----|----|-----|----|----|----|

 | té | ri | fa | mé | ui |

pa | té | ri | fa | mé | ui

**4** Lis ces mots outils.

et   de   la   du

alors   dehors   après

**5** Lis les mots de l'histoire.

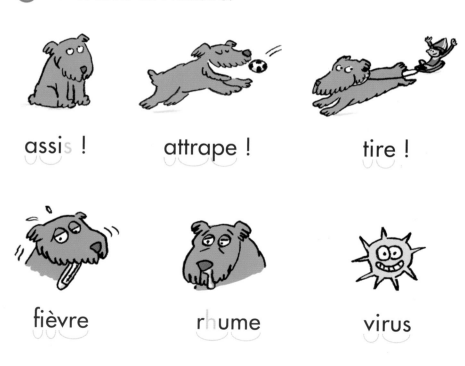

assis !        attrape !        tire !

fièvre        rhume        virus

Sami adore Tobi !

Et Tobi adore Sami !

7

Sami donne à Tobi
de la pâtée et du riz.
Et si Tobi est affamé,
il lui donne du rôti.

Si Sami dit :

« Assis ! La patte ! »

Tobi obéit.

Tobi adore
les promenades,
alors Sami le sort,
même l'hiver.

Sami dit :

« Attrape ! »

et Tobi obéit.

15

Papa a une idée.

Sami dit :

« Tire ! »

et Tobi obéit.

Après la sortie,

Tobi reste

sur le tapis.

Il refuse même

le rôti de Sami.

Tobi est malade !

« Il a de la fièvre ! »

dit Sami.

Alors Papa

l'amène visiter

madame Delatortue.

Tobi est affolé.

Tobi est dorloté,

il sera vite

remis sur pattes !

As-tu bien compris l'histoire ?

**1** Est-ce que Tobi comprend ce que lui dit Sami ?

**2** Quel temps fait-il pendant la promenade ?

**3** Comment Tobi se sent-il après la promenade ?

**4** À ton avis, est-ce que Tobi aime aller chez la vétérinaire ?

**5** Que dit la vétérinaire ? Est-ce que c'est grave ?

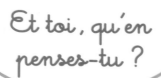

# Et toi, qu'en penses-tu ?

**As-tu un animal de compagnie ? Aimerais-tu en avoir un ?**

**Comment s'appelle le « docteur » des animaux ?**

**Quel est ton animal préféré ? Pourquoi ?**

**À ton avis, que faut-il faire pour bien s'occuper de son animal ?**

**Est-ce que tu trouves que Sami s'occupe bien de son animal ?**

# Dans la même collection :

**Niveau 1**
Début de CP

**Niveau 2**
Milieu de CP

**Niveau 3**
Fin de CP

**Niveau CE1**

Et dans la collection
des **Petites Enquêtes** trop chouettes :

**CP et CE1**
6-8 ans

**BD**
DES BANDES DESSINÉES FACILES À LIRE

**hachette** ÉDUCATION